인어
공주를
위하여

이 미 라

늘 감사하고
행복했습니다.
이 책이 작은 기쁨이
되어 드린다면
참 기쁠것 같아요.

인어
공주를
위하여

LEE MI RA SPECIAL EDITION

인어
공주를
위하여

4

이미라

학산문화사

LEE MI RA SPECIAL EDITION

인어공주를 위하여 4권

제17장
솔베이지의 노래

안녕, 지원.

서울에서의 생활이
겨우 열흘 남짓 지났을 뿐인데
돌아가고 싶어.

…네가 보고 싶어.

아침에 눈 뜨면서
저녁에 눈 감을 때까지
널 생각해.

멀리 떨어져 있으므로
더욱 그리운 걸까…?

오늘은 상아랑
서울 관광을 했어.

경복궁…,
놀이 공원…,
한강…,
여의도…,
하루종일 돌아다녔지.

상아는 내가
저와는 다른
다리를
가졌다는 걸
잊은 듯

이리저리
날 끌고 다녔어.

많이 피곤했지만
모처럼의 외출이어서인지
즐거웠단다.

ICE ♡ CRE

왕자님이라…, 좋을 때다.
세상 모든 사랑 노래가
네 노래…, 세상 모든
사랑 시가 네 시…,
세상 모든 사랑 이야기가
네 이야기 같겠지.

애는,
내가 아직도 꿈 먹을
나이겠니?

냉수 먹고
정신 차릴
나이지.

이모는 안 그래?

……

어쨌거나 내 경험으론
10대 때 이성 교제란 게
그렇더라. 그 순간은
정말 심각하고 미래까지
생각해보지만,
현실이 어디 그러니?

좀 더 자라
많은 사람을
만나게 되니
그 시절 감정이란 게
별것 아닌 게
되더라고.

이모나 그렇지.
언니는
일편단심이야.

아마 이모가
진현 아저씨랑
결혼할 확률보다
언니가 그 왕자님과
결혼할 확률이
더 높을걸?

난 이해할 수 없어, 지원.

사랑의 상처를 작은 생채기인 듯
담담히 얘기할 수 있는 이모….
그리도 절실했던 사랑이,
기억들이 왜 사랑이 아니었다고
부정되어지는 것일까?

저원…, 너로 인한 아픔은 참 컸어.
하지만 더 큰 기쁨과 더불어
내 삶의 뜨락이 얼마나 윤택하고 풍요로웠는지…
이모는 그걸 어리석은 소리라 말하며,
웃어넘길 수 있는 날이 온다고 해.

너로 인해 가슴 터질 듯하던 그 기쁨도…
온 밤을 불면으로 지새우게 만들던 슬픔도…
영혼을 침식해 가던 절망도…
세월이 흐른 후엔 그저 일순간의 호기심…
인간이기에 겪는 무수한 시행착오….

잊혀져서가 아닌…,
잊어간다는 데 대한
비애로 남는다.

사
각.

파
삭…

어서…

오지 말고 가버려.
넌 자존심도 없니?

개는 또
왜 불러내냐??

몰라서 물어?
걔가 지원이
은행창구 아냐.
아님 그 역할
네가 맡을래?

쳇!

여~,
오랜만이다.
서지원.

요새
분홍빛 소문이
짜아 하던데
어떻게 된 거야?
설명해봐.

*침소봉대야.

※침소봉대 : 바늘만큼 작은 것을 몽둥이처럼 크다고 말함. 즉, 어떤 일을 터무니없이 과장한다는 뜻.

크…, 큰일 났어. 빨리 피해.

밖에 우리 학교 3학년 남학생들이, 저어…, 그러니까 블랙파워단이….

밖에….

뭐야?

나를 노리고 있어? 블랙파워가?

으응….

재미있군. 지난 번의 보복인가?

지원….

들어오다가 우연히 들었는데…

칼 같은 것도 들고, 10명 가까이 되는 것 같았어.

어쩌지?

우린 나까지 5명인데….

얼마나 준비들을 하셨는가 한번 나가볼까?

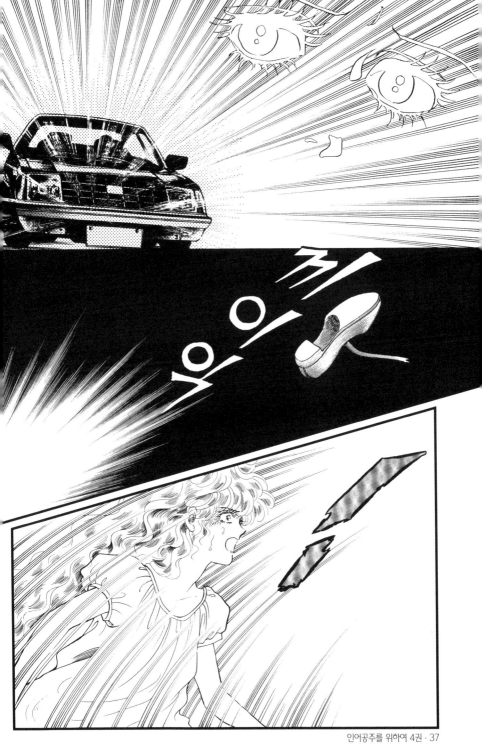

나 또한
그로 인해
널 내 곁에 둘 수 있었으니….

나도…
그 일은 전화위복이라고…,
…그렇게 생각해도 되나….

그래도… 돼,
지원…?

※지과필개(地過必改)를
좌우명으로 삼고
하늘을 우러러
한 점 부끄럼 없는 여인이기를,
늘 순수한 여인이기를…
추구해온 나.

진실을 위해서라면
최진실이라도
만나려 했던 나.
만화를 위해
청춘과 정열을
불사르고
적극적 독신주의의
기로에 서서
방황하는 20대…

※주 : 지과필개(知過必改).
잘못을 알면 반드시 고친다.

그래, 나에게도
편견은 있었지.
내가 타인을
사랑하는 만큼
그들도 나를
위해주리라는…!

그런 편견이
이유가 된 걸까?

목이 길어
슬픈 사슴이여.

내 이제야 너를
이해하겠거니….

쏜살같이 시간이 흘러
산행 넷째 날이 되었다.

그날 드디어 일행은
정상인 천왕봉에
도전했다.

모두들 수고했어요.
그만 씻고 식사합시다.

누님들!

뭐야?

혁진아, 왜?

1 m

재, 미라 맞니?

어딘지 미라답지가 않아.

내가 배워 가는 산의 너그러움을
푸르매와 나누어 가질 거야.

우리 슬비가
며칠 새 어른이
다 되었네?

헤헤.

생각해봤는데
푸르매랑 나랑은
정말 끊을래야
끊을 수 없는
사이인 것 같아.

그렇지?

지수야.

지수 없니?

제니야,
너의 주인이
안 보이는구나.

놀러 나간 거니?

둘 다 어딜 갔기에
이렇게 안 온담?

청소 다 하고도
시간이 한참 지났는데…

여기가
푸르매의 집…

푸르매의
옷….

모든 게
새롭게 보인다.

푸르매가 쭈욱 앉았을 자리….

푸르매의
책들….

그리고…

제18장 해빙

안녕?

오랜만이야.
이슬비.

뭐 하니?
넋을 잃고 서서…

-!!

아
!

왜 그리
놀라?

성빈아.

어딜 그렇게
넋을 빼고…

어,
장미네?

개학 첫날부터 또 서지원과 조종인의 격돌이야.

정말 천적이라니까. 그런데…

서지원이 먼저 시비를 걸 때도 다 잇네?

그…,

그만….

보기 싫으니
피나 닦아.

빌어먹을….

미… 미안.
책을 보다가
흩…어져서
그냥….

…저 녀석은
만날 때마다
폭력이군.

…그동안
내가 보낸 편지는
다 받아보았어?

…그래.

방학동안
만나지 못했는데
답장을 할 마음이…

조금도…
없었어?

……

그런 거야?

어?
서지원의 새로운
여자 친구인가?

백장미잖아!

저 녀석,
우리의 꽃을….

설마했는데….

장미가 말하던 상대가 정말로 서지원이었구나.

예…, 그렇게 됐어요.

좋은 일 있었니? 즐거워 보인다.

에, 즐거워요…, 아줌마.

최고로 행복해요.

참, 아줌마, 제 생일 때 친구들을 좀 많이 초대할지도 몰라요. 괜찮죠?

물론이지. 근데 몇 명이나 되는데?

우선 6명 정도로 생각해두세요.

지난 해까지만 해도
친구라곤
하나도 없더니
정말 다행이야.

임의 말씀 절반은
맑으신 웃음.

그 웃음의 절반은
하느님 거 같으셨다.

임을 모르고 내가 살았더면
아무 하늘도 안 보였으리.

「임」 김남조

녀석…,
방을 엉망으로 해놓고….

처음 만났을 때
금방 알아볼 수 있었어.

세월을 거슬러 올라간 듯
변함없는 너의 눈빛, 미소.

너를 보면
내겐 아릿한 슬픔.
그만큼의
또 다른 느낌 하나.

어쩌면…
행복이라…
이름 붙일 수도
있었을까?

그날…
풀밭에서의
아련함이라니….
7살 계집아이와
9살 사내아이의
철없는 약속이야
잊어버리기에 족한
10년이 아니었던가.

…그러나…

……

…그러나….

푸르매가 천국이면
댁은 지옥,
푸르매가 천사라면
댁은 악마라고요!

너의 천사는
천국을 버리고
날개를 잃은 채
발 닿은 곳은 지옥.

···더럽혀진 영혼.

···아니···,
그대로다.

네가 무얼 안다고 그래?
나에 대해서
무얼 안다고—!!

그대로 네 꿈속의 천사로 남고 싶은 욕심과
어이없는 네 기다림을 깨버리고 싶은 충동.

…그 무엇보다 강했던 것은
끝까지 얘기 않으리라던 다짐.

이율배반!

굉장한 펀치야.

엉? 182
나왔어.

너를 풀어주어야 한다고
생각했다.

어린 날의 그 약속으로부터.

…아니…, 아니다.
그것은 이기심….

나는 이리 만신창이가 되어 있는데
여전히 변함없는 네게 질투를 느꼈어.

네가 지닌 환상에게도….

그도… 아니다.

그저 나로 인정받고 싶었던 것.
환상의 푸르매가 아닌
지금의 나 서지원으로….

뭐…,

상관없어,
이제는….

다음에는
감기 걸리면
꼭 약 사 먹어야 해,
알겠지?

제니야,
난 슬비 누나랑 우리 형이
결혼했으면 좋겠어.
그럼 매일 누나랑 같이
있을 수 있잖아, 그치?

슬비 누나는 엄마,
우리 형은 아빠,
난 아들처럼…

저기 가는 애,
호두나무집 애
아냐?

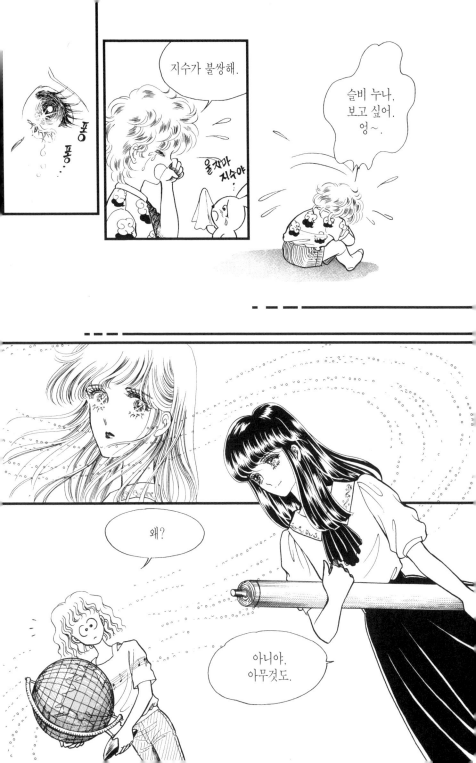

지금 생각해 보니
어린 날의 푸르매와
그렇게나 닮았는데.

가엾은 지수.
갑자기 발을 끊어서
많이 궁금해하겠지….
울지 않을까?

그래…,
형제니까….

…슬비.

슬비야.

애, 슬비야.

으…, 으응?

네 생일에
재도 오는 거니?

응?

나는 저 녀석 외모 하나만 보고 반하는 여학생들이 참 한심하다 싶었는데 하필 그게 우리 반 장미였다니…

한심한 외모 밝힘증.

뭐, 이런저런 비난도 감수할 만큼 잘생기긴 했잖아.

잘생기긴― 잘생긴 사람 다 죽었나?

안 그러냐?

들어보니 구구절절 애절하긴 한데 그냥 자기합리화 같기도 하고… 결국 반한 건 그 녀석 외모가 아닐까? 예전에는 맑았으니 어쩌니 하는데 그게 사실인지 알게 뭐냐고.

그리고 중요한 건 과거가 아니라 현실이고.

아니, 그 선배는 어째서 남에게 피해만 주는 인간으로 사는 거냐고. 보통이라면 신경도 안 쓰겠는데 하필 내 친구 장미의 남자 친구가 되었으니 진짜 걱정이네. 말려도 소용없고.

자기 팔자는 자기가 만든다더라.

왜 그래, 쟤?

그래도…

다 맞는 말이야.
알고 있어.
전엔 나도 그렇게
생각했으니까!

그 앤
푸르매인데….

그 앤 남들이 다
나무라고 욕해도
나만은 그래선
안 되잖아.

나의 푸르매니까.

…지금은
장미의 지원.

푸르매와 나,
지원과 장미.

그러니까 장미와 나는….

으아아아~!
도대체 내가 왜
이런 일에 골머리를
썩어야 하느냐고!
나쁜 놈!
서지원, 나아쁜 놈…!!!

왜
푸르매라고
밝힌 거야?
푸르매가
되어주지도
못하면서.

…차라리…
몰랐던 게
더 좋았잖아.

내가
뭘…!!

정말로
그쪽이 더….

제19장 상처

어서 와,
모두들.

오지 않는 걸까….

오지…

않는 걸까….

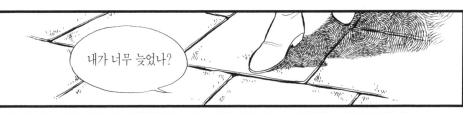
내가 너무 늦었나?

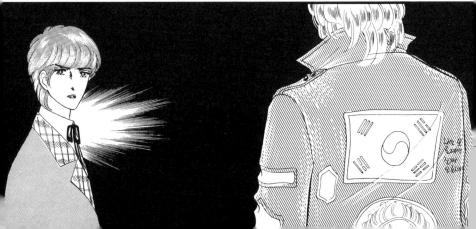

네가 17살이 되는
생일에 찾아갈게.
그때….

그때에는….

이러한 부를
갖기 위해
인색해야 했고…,

그로 인해
더욱 커진 부는
블랙홀처럼
또다시 소시민의
고혈을 빨아들이는
자본주의적 모순.

타인들의 피눈물로
쌓아올린 돈 탑.

역겨운 황금문화….

그 아이야.
분명히…
그 아이야.
그런데
어떻게 장미가….

네 동생 상아를
유괴했던,

서훈섭의 자식이란
말이다!

그러니
그따위 얼굴
하지 말고 꺼져!

꺼져버리란
말이야!

빌어먹을….

…하고 내려치면
몇 주 진단이
나오겠지?

그래서야
피차 좋을 거
없으니까
말로 할 때
듣는 거야.

톡

톡

……

묻겠는데…, 입고 있는 옷이랑 신 누구 거야?

내 거지.

잠 모자라서 고통받은 적 있어?

…없지?

오늘 아침 못 먹었니?

먹었어.

그런데도 그런 말을 해?

참다운 불행이 무엇인지 모르는군.

인간의 기본권마저 말살당하는 것이야말로 불행이 아니던가?

먹을 것 못 먹는 것, 입을 것 못 입는 것, 제대로 잠을 자지 못하는 것―!

세상에서 이것보다 더 비참한 게 어디 있느냔 말이야!

그중에 하나라도
너한테 해당되는 거
있어?!
그 모든 일에서
속박 받으면서
살고 있느냐 말이야!

그렇진 않지만….

그런데 뭐가
불행하다는 거야?!
나 같은 사람도
꿋꿋하게
살아가는데…!

생각하면 할수록
난 너무너무 불행해.
5분만 늦잠을 자도
식탁에서 쫓겨나고,

그 채찍 아래 생사를
가늠하고, 옷 한 벌
변변한 것 없어서 언제나
언니들 눈치보며 얻어 입지.
이 옷만 해도
애원, 아부 끝에
하루 빌려 입은 거라고.

슬비,
뭣좀 많이
먹고 오려나?

실컷 먹고
오겠지, 뭐.
잔치집에서
잘 먹겠다고
두 끼나 굶고
가다니, 원….

그뿐이면 말도 안 해.
엊저녁부터 못 먹고
굶었단 말이야.

이런 내 앞에서
어떻게 그런 말을
할 수 있어?

세상에서 나보다 더
불행한 사람 있으면
나와보라고 해.

장미…
말인데…,

그 애 일은
걱정 안 해도 될 거야.

전에 그러더라.
어떠한 일이
있어도
너에 대한
마음은 변치
않는다고.

그렇게
내성적인 애가
그 말 할 때는
정말…
단호하더라.

그러니
그 애의 마음은
변치 않을 거야.

내가
손을
놓아버린
거야.

내가…

내가─!

비열한 사람.
당신이 무슨 짓을
한지나 알고 있어요?

또 한번 당신에게
실망했어요.

어떻게 그 애에게…,
당신이 그 애에게
소리치고 화낼 자격이
있는 줄 알아요?

당신이야말로
무슨 짓을
한 거야?

그놈을
왜 이 집 안에
끌어들인 거지?

똑같이 생긴 그놈을 보며
옛사랑의 추억에라도
잠길 생각이었나?

아님 새삼스레
날 괴롭힐 작정이었나?

당신…

…정말이지
당신의 발상이란
하나같이 저열하고
추잡하군요.

방법이야 어쨌든
원하는 것만 얻으면 된다는
이기적인 가치관,
그게 소름끼치게 싫었어요.

당신은 사회적으로
성공을 했고…
모두가 우러러보는
자리에 있지요.

그러나 그걸 위해
숱한 사람을
짓밟은 걸
알게 되었는데,

더 이상 어떻게
당신을 신뢰해요?

당신이
그렇게도 싫어하는
그 사람도
그 중 한 명이었죠.

당신의 일개 직원에
불과했던 사람….
당신 지위에 비하면
한없이 초라한…,

당신 수작질에 말려
죄 없는 죄인 신세가 된
그 사람….

그럼에도
그가 당신보다
더 커보이는
이유가 뭘까요?

제20장
호두나무가 있는 동화

혼자 가라.

매점 가자, 푸르매.

매점 가자아~!

그 이름으로 부르지 말랬다!

매점 안 갈 거야?

이걸 그냥 확!!

기다려 봐. 아직….

나도 좀 보자니까?

쉿, 조용히 해.

지수는 잘 있어?

...응.

형,
나 슬비 누
보고 싶ㅇ

형이 오지 말라고 해서
안 오는 거잖아.

슬비….

응?

아냐, 먹자.
불어터지겠다.

찌
익

꼴통 하나
오는군.

종인 선배.

실례하겠어.

다른 데 앉아.

보다시피 빈자리는 여기뿐이야.

꼴 보기 싫으니까 꺼져.

싫으면 네가 가면 될 거 아냐.

어휴~. 매점에서만은 좀 조용해 줬으면....

또 서지원과 조종이다.

자리도 넓은데 같이 먹어도 되잖아. 라면이나 먹어, 지원.

선배님도 좀 참으세요.

저럴 수가….
녀석에겐 다정하게
이름 부르고
말도 놓으면서
나는 거리감 있게
부르다니….

아…….

흥, 누군 존대고,
누군 하대야?
차별하고 있어.

하하….

그래서?

어쩌겠어.
또 싸움 날까 봐
실없이 웃고만
있었지, 뭐.

푸르매는
잊기로 했니?

이제….

…아니.

크륵,   크륵

야~,
바깥이
더 따뜻하다.

오빠가
출감하셨다고?

여긴 안 오셨어.
집에도 없다면
어디에 가신 걸까?

혹시…
네 엄마 묘소에
가신 걸까?

어제 나왔다고? 이해할 수가 없군. 왜 내게 연락을 안 했을까?

그래, 집에도 안 갔더란 말인가? 도대체….

원래 책임감 있는 사람은 아니었지 않습니까?

도대체 무슨 말을 그렇게 하는 건가! 자네 아버지가 오죽했으면 집에 들어가지 못했을까 생각해봤어?

제대로 판단한 것이지요.

만일 집에 돌아왔다면 내가 나갔을 겁니다.

정말 그런 거라면 왜 이렇게 찾아다니는 거냐?

아직도 아버지를 사랑하기 때문이 아닌가?

バ
サ

도대체 저 녀석은
왜 계속 나한테
쌍심지를 돋우고
난리야?

참으라니까.

난리가ㅡ!

장미는 벌써
사흘째 결석.

오늘은 지원도
등교하지 않았어.

지원은
원래 결석이
잦다지만….

이번 주말까지는
수단, 방법 가리지 말고
빨리 오너라.
원고 비상이다!

하교 후에
장미에게
가보나
어쩌나….

슬비, 면회다.
3학년의 혁진 선배야.

혁진 선배?

이슬비 요새
진짜 잘나가네.
매번 상대도
달라지고….
무슨 매력이
있길래?

대단한 여자야.

제니,
나 그 아저씨
꿈 꾸었다.

그저께 낮에 왔던
그 아저씨 있잖아.

나 가슴이 막 두근거리고
참 이상했어.
무엇으로 콕콕 찌르는 것
같았거든.

지수야,
아버지 보고 싶지
않니?

저 애 아버지가
얼른 돌아와야
할 텐데….

우리 형 어제 외박했다.
그냥 나가서
안 들어온 거 있지.

슬비 누나도
못 오게 하고, 씨~.
형은 나빠.

씨
이..

아 주 나쁜 형이야
콱
넘어져라
!!!

뭐라는 거야,
이 녀석이…

앗, 형아!

배고프다.
밥부터 먹자.

응!

형이 학교도
안 가고 나랑
놀아준대.
밥도 오래오래
만들고…
반찬도
만드나 봐.

달
그
락
달
그
락

어서 와.
먹자.

여러가지 많지는 않겠지만
맛있게 먹을 거야.
형이 만든 거니까!

으응.

와아~.
모두 다 형이
만든 거야?

밖에 누구 왔어?

아니야.

이제 방 치워야지.

나는 유리창 닦을게.

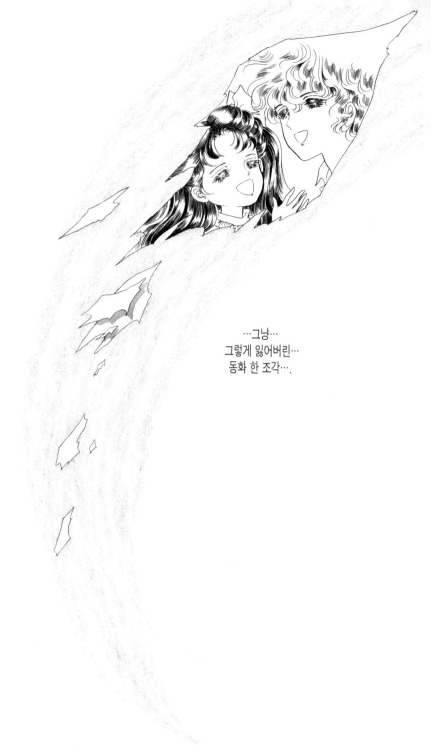

…그냥…
그렇게 잃어버린…
동화 한 조각….

형, 안 잘 거야?
나… 졸린데….

먼저 자,
거기 이불
깔아뒀잖아.

빨리
들어와야 해.
나 먼저 잘게.

『인어공주를 위하여 4권』 끝

인어
공주를
위하여

LEE MI RA SPECIAL EDITION

인어공주를 위하여 4

2023년 4월 25일 초판 1쇄 발행

저자 이미라

발행인 정동훈
편집인 여영아
편집책임 최유성
편집 양정희 김지용 김혜정
디자인 형태와내용사이

발행처 (주)학산문화사
등록 1995년 7월 1일
등록번호 제3-632호
주소 서울특별시 동작구 상도로 282 학산빌딩
편집부 02-828-8988, 8836
마케팅 02-828-8986

ISBN 979-11-411-0327-9 (07650)
ISBN 979-11-411-0323-1 (세트)

값 16,500원